Passeport pour la réussite

Alexandre Guntz

Passeport
pour
la réussite

Théorie et pratique du succès

 Editions de Mortagne

Édition:
Les Éditions de Mortagne
250, boul. Industriel, bureau 100
Boucherville (Québec)
J4B 2X4

Distribution:
Tél.: (514) 641-2387
Téléc.: (514) 655-6092

Dépôt légal:
Bibliothèque nationale du Canada
Bibliothèque nationale du Québec
1er trimestre 1991
ISBN 2-89074-394 – 2

1 2 3 4 5 - 91 - 95 94 93 92 91

Imprimé au Canada

TABLE DES MATIÈRES

LES HABITUDES

LES OBJECTIFS

L'ORGANISATION PERSONNELLE

LA MÉTHODE

Note de l'auteur

Ce livre n'est pas un ouvrage ordinaire. Il ne théorise pas sur ce que nous appelons le **succès**, mais il propose de façon concrète et pratique les moyens d'y parvenir.

C'est en fait un véritable **outil de travail** qui permettra à chacun de vous d'établir clairement ce qu'est la réussite.

Et pas n'importe quelle réussite: VOTRE RÉUSSITE.

Chaque chapitre s'articule autour d'un schéma comportant **une base théorique** aboutissant systématiquement **à la partie pratique** correspondante.

Cet ouvrage s'adresse à tous. Que vous soyez écolier, étudiant, apprenti, ouvrier, employé ou cadre, cette méthode vous apportera les moyens de concrétiser tous vos désirs.

Les principes énoncés sont d'une logique et d'une simplicité déconcertantes. Étrangement seulement deux personnes sur cent profitent de ce savoir et réussissent leur vie.

La structure moderne de cet ouvrage facilite la mise en application des conseils proposés.

Toute personne qui veut évoluer dans sa vie professionnelle ou privée trouvera dans cet ouvrage un allié efficace, quels que soient ses buts.

Considérez ce livre comme un guide. Il a été conçu à cette fin. En effet, le style volontairement dépouillé permet au lecteur d'aller à l'essentiel et de mettre aussitôt en application les conseils qui concrétisent les théories sur le succès.

Son format pratique vous permettra de le conserver par-devers vous en permanence afin de le consulter chaque fois que cela sera nécessaire.

Les rubriques «Fiches» et «Notes personnelles» vous aideront à arrêter votre plan d'action et à en suivre la progression.

Enfin, ce guide individuel trouvera sa place au sein de la famille. Son application collective harmonisera les rapports de tous ses membres. Il est reconnu que les résultats scolaires évoluent favorablement dans les familles organisées où chacun s'est fixé des objectifs ou des buts précis à atteindre.

Mode d'emploi

Toute méthode doit être analysée avec précaution afin d'apporter au lecteur la meilleure efficacité possible. Je vous suggère donc la démarche suivante:

1° Lisez attentivement cet ouvrage du début à la fin.
2° Relisez-le en notant au crayon le fruit de vos réflexions sur les fiches «Notes personnelles» à la fin de chaque chapitre.
3° Déterminez vos résolutions, vos décisions et vos objectifs et notez-les sur les fiches réservées à cet effet.
4° Adaptez la partie pratique à votre propre cas et surveillez votre progression en notant les résultats que vous obtenez.
5° Appliquez avec rigueur les conseils

qui vous sont donnés, jusqu'à ce que l'habitude s'installe.

6° Gardez cet ouvrage sur vous en permanence afin de le consulter aussi souvent que cela sera nécessaire. L'efficacité de cette méthode en dépend.

7° Enfin, faites chaque jour ce que vous devez faire. N'en faites pas plus; seulement ce que vous avez décidé.

Maintenant, au travail!

Ne vous découragez pas. La mise en application d'une méthode nouvelle peut paraître contraignante.

Cela est vrai au début. Ensuite, la contrainte diminue, puis disparaît, laissant la place à l'habitude.

De l'avis de la plupart des experts, une habitude s'acquiert ou se perd selon un cycle moyen de vingt et un jours.

Vingt et un jours pour une nouvelle vie!

QU'EST-CE QUE
LA RÉUSSITE?

I THÉORIE

Avant de parler de réussite ou de succès, définissons ensemble ce que signifient ces deux termes.

Avant de tenter tout développement sur ce sujet, nous dirons que:

> **LA RÉUSSITE EST L'ABOUTISSEMENT LOGIQUE DE L'ENSEMBLE DES ACTIONS ENGAGÉES POUR LA RÉALISATION D'OBJECTIFS PRÉALABLEMENT DÉTERMINÉS.**

Ceci constitue la théorie de base.

Sur le plan individuel, la réussite est affaire personnelle. Elle découle d'un ensemble d'objectifs que chacun de nous a choisis et qui sont, bien entendu, différents d'une personne à l'autre. Pour la plupart des gens, la notion même de réussite est souvent quelque chose d'abstrait, de lointain, voire d'irréel. D'inaccessible même.

Il n'y a rien de plus faux!

Pourquoi?

Tout simplement parce que la plupart des gens aspirent à la réussite en ignorant tout du chemin qui permet d'y accéder.

Imaginez-vous au bas d'un escalier dont vous désirez atteindre la plus haute marche.

Pourrez-vous l'atteindre sans monter, une à une, toutes les marches intermédiaires?

À l'évidence, non.

Eh bien! c'est le chemin que nous allons baliser ensemble. Nous installerons des repères, des points d'appui qui nous permettront de progresser vers la réussite.

Nous avons affirmé plus haut que la réussite est la réalisation d'objectifs préalablement établis.

Ces objectifs devront être valables et suffisamment élevés pour que l'intérêt que l'on y porte soit motivant.

Nous organiserons un long voyage autour du monde avec une plus grande détermination que s'il s'agissait d'une simple sortie dominicale.

J'ai proposé à dessein deux cas extrêmes. En réalité, le choix de nos objectifs sera beaucoup plus nuancé.

Enfin, notons au passage que la sortie dominicale dont j'ai parlé plus haut est importante elle aussi.

Elle fait partie intégrante de nos journées réussies.

Ces journées sont un élément de bonheur familial sans lequel aucune réussite ne peut se réaliser.

Toute réussite est liée au choix des objectifs, à la somme des tâches à accomplir pour les réaliser, à la ténacité et à l'organisation personnelles.

En conséquence, la réussite passe par la planification et par l'application des principes suivants:

- Déterminer des objectifs précis et valables.

- Planifier les actions à accomplir en vue de leur réalisation.

- Organiser sa vie et son travail en fonction du plan que l'on a établi.

Et tout cela pour atteindre le but que nous nous sommes fixé.

Nous avons tracé les grandes lignes menant à la réussite. Entrons maintenant dans le détail et balisons le chemin que nous allons suivre pour réaliser nos buts, nos objectifs.

En fonction de ce que nous voulons obtenir, nous nous fixerons des étapes ou «Objectifs intermédiaires» qui iront tous dans le sens du but final. Puis nous nous arrêterons de temps à autre afin de faire le point et, au besoin, nous réajusterons ces objectifs intermédiaires ou stratégiques.

Nous pouvons donc comparer la plus haute marche de notre escalier au but suprême, à l'objectif final, ou encore à la réalisation et à la réussite d'un projet.

Les différentes marches représentent les objectifs intermédiaires sans lesquels nous ne pourrions accéder au but, le haut de notre escalier.

Nous verrons plus loin comment définir et établir les objectifs intermédiaires.

La réussite dépend de la volonté et de la confiance que l'on a en soi, des bonnes habitudes que l'on a ou que l'on doit s'efforcer d'acquérir, et enfin, de l'environnement dans lequel on évolue.

Pour ce dernier point, il sera parfois nécessaire de choisir son environnement afin d'obtenir le succès dans la branche que l'on a choisie.

Il faut savoir aussi que la réussite est souvent consécutive au besoin. L'histoire abonde d'exemples validant cette affirmation.

Il en est de même sur le plan individuel.

À la volonté d'agir, nous ajouterons l'exactitude, la préparation et la conviction.

Ces qualités réunies assurent une efficacité optimale à toute action.

La conviction est primoridale, car elle est le ciment de l'action entreprise.

Prenons garde également de ne pas faire de la réussite un synonyme de richesse ou de célébrité. Cela peut être le cas, bien sûr, mais considérons avant tout que la réussite signifie d'abord la réalisation d'objectifs déterminés, quels qu'ils soient.

Il est important de noter qu'avant d'atteindre le succès, les efforts que l'on fait pour y parvenir doivent être à la mesure du but recherché.

Nous allons maintenant imaginer de façon concrète et imagée ce que nous appellerons «les chemins de la réussite» afin de bien saisir la structure même de notre méthode.

Comparons une vie ou une carrière professionnelle à un mur que nous nous proposons de bâtir.

Comment peut-on édifier l'un ou l'autre?

Commençons par le mur.

Avant de l'ériger, nous allons devoir creuser une tranchée bien faite et régulière.

Nous «armerons» ensuite le tout avant d'y couler du béton liquide bien dosé.

Bien entendu, l'ensemble sera de niveau et les angles seront droits.

Voilà la base sur laquelle notre mur prendra appui pour pouvoir s'élever de façon solide et harmonieuse.

Nous faisons ici le parallèle entre cette opération et la petite enfance, qui est la base même de la vie. Cette base sera consolidée plus tard par l'éducation et les études.

Revenons maintenant à notre mur. Sur la base parfaitement disposée, nous commençons à poser les briques une par une, rang après rang. Chaque brique sera posée de niveau et bien alignée. Nous vérifierons ensuite l'aplomb de chacune. Cette dernière opération permettra la bonne mise en place du rang suivant.

Comparons à nouveau notre mur à la vie d'un être humain. Chaque brique représente une journée et chaque rang représente une période plus ou moins longue de la réalisation d'un projet.

Il en est de même pour la vie. Chaque journée, chaque semaine ou chaque mois vous permettra d'accomplir des tâches déterminées à l'avance qui iront dans le sens de vos objectifs ou projets finaux.

À l'instar de l'érection de notre mur, nous bâtissons notre carrière en réalisant chaque jour les actions qui nous mèneront vers la réussite.

Si un mur bien fait est le résultat de la superposition de briques bien posées, la réussite n'est ni plus ni moins qu'une accumulation de journées bien remplies et réussies.

C'est aussi simple que cela!

II PRATIQUE

Le volet pratique de chaque chapitre est conçu pour faciliter la réflexion et la prise des résolutions nécessaires à la planification de votre parcours vers la réussite.

1° Inscrivez ci-dessous les résolutions que vous allez prendre.

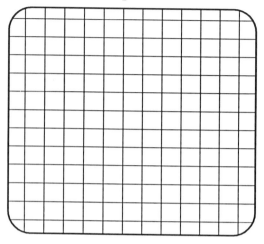

2° Analysez succinctement les raisons de vos choix.

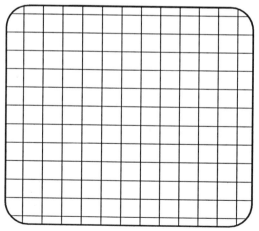

3° En quelques lignes, indiquez la manière dont vous allez vous y prendre.

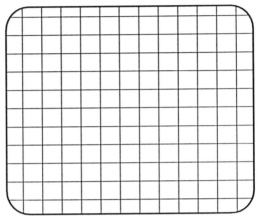

4° Imaginez de façon globale le parcours qui favorisera la réussite de vos résolutions.

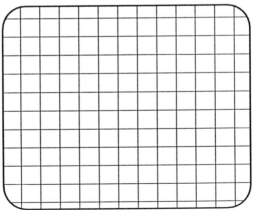

III FICHES DES RÉSOLUTIONS

Notez ici les principales résolutions que vous avez prises.

Inscrivez une résolution par fiche. Utilisez un crayon à mine de préférence.

Fiche n° 1

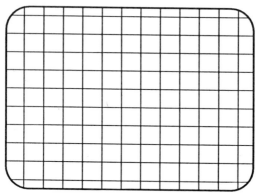

Fiche n° 2

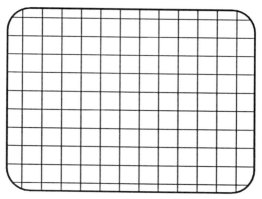

Fiche n° 3

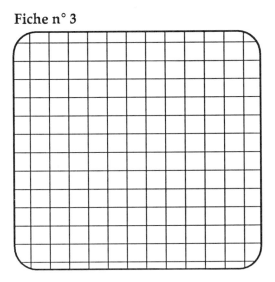

Fiche n° 4

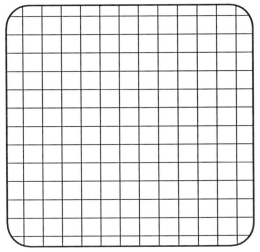

Fiche n° 5

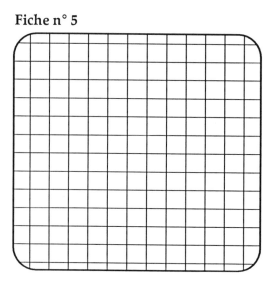

Fiche n° 6

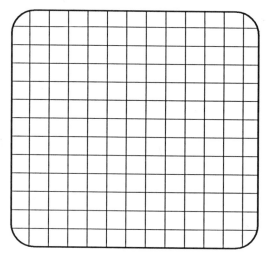

Fiche n° 7

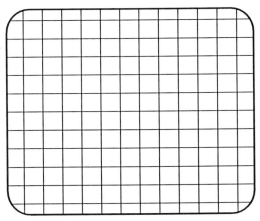

Fiche n° 8

Lorsqu'une résolution a été exploitée, effacez-en l'énoncé et remplacez-la par une autre.

L'AUTOSUGGESTION

I THÉORIE

L'autosuggestion est le processus mental qui influence le comportement et le psychisme à partir d'une idée volontairement privilégiée.

De nombreuses personnes qui se plaignaient d'avoir mauvais caractère, d'être irritables, ont vu leur comportement changer radicalement grâce à l'**autosuggestion.**

Évoquons un exemple concret:

Prenant conscience de leur état, de leur façon d'agir, ces personnes irritables se sont dit:

«Aujourd'hui et tous les jours qui vont suivre, je vais être souriant et de bonne humeur.»

«Plutôt que de heurter quelqu'un, je vais tout faire pour le comprendre et l'aider.»

Et cela, ils l'ont répété plusieurs fois par jour, selon un cycle de trois semaines.

Les résultats obtenus ont été merveilleux

Comment?

À cause de l'autosuggestion qui a peu à peu introduit le message dans leur subconscient et modifié leur comportement.

Notons cette phrase qui doit être à la base de toutes nos actions:

APPLIQUONS-NOUS À TOUJOURS AGIR DE LA FAÇON LA PLUS POSITIVE POSSIBLE.

Agissons pour être positif

- Persuadons-nous d'agir en toute occasion de façon à être le plus efficace et le plus positif possible.
- Établissons clairement les actions à accomplir pour y parvenir.
- Exécutons ces actions jusqu'au bout.
- Inscrivons ces décisions sur des fiches. Une action à mener a davantage de poids si elle est écrite.
- Une fois chaque action terminée,

faisons notre autocritique. Notons si nous avons tout fait pour être efficace et positif.

Cela n'ira pas toujours tout seul. Seule la persévérance vous aidera. Puis avec le temps, l'habitude s'installera et les premiers résultats vous encourageront naturellement à continuer.

N'oubliez pas: Toutes les actions concernant l'acquisition ou l'abandon de vos habitudes doivent être menées selon un cycle de vingt et un jours. Seuls ceux qui persévèrent finissent par atteindre leur but! Soyez de ceux-là!

Un échec peut cependant survenir. Qu'à cela ne tienne! Ne vous découragez pas. Les obstacles sont les éléments naturels qui jalonnent toute piste. Il vous faudra franchir l'écueil ou alors le contourner. L'échec doit être analysé. En comprenant pourquoi vous avez échoué, vous trouverez les solutions qui vous permettront de réussir.

En aucun cas il ne faut renoncer.

L'autosuggestion permet d'avoir une meilleure image de soi-même.

Il ne s'agit pas là de vanité ou d'orgueil mal placé, mais simplement de l'estime que l'on a de sa propre personne.

Comment voulez-vous qu'une personne qui a perdu l'estime d'elle-même puisse en inspirer ou en avoir pour les autres?

Ceci est très important pour tous les actes de la vie quotidienne.

Avoir une bonne image de soi rend positif.

Le fait d'être positif vous apportera le succès.

D'où la règle universelle qui suit:

Pensons en vainqueur

Ceci me rappelle une petite anecdote.

Deux jeunes gens s'essayaient à l'écriture de scénarios.

Ne pouvant encore vivre de leur plume, tous deux travaillaient comme garçons de café.

Lorsqu'ils discutaient avec certains clients avec qui ils sympathisaient, l'un disait qu'il était scénariste mais qu'accessoirement, il travaillait comme garçon de café afin de pouvoir vivre décemment.

Le second, lui, se présentait comme un garçon de café qui écrivait des scénarios à l'occasion.

Il se produisit alors ceci: celui qui se présentait comme scénariste finit par le devenir. Quant à l'autre jeune homme, il abandonna l'écriture quelque temps plus tard.

Le premier a réussi parce qu'il s'était autosuggestionné en permanence en se disant qu'il serait scénariste. Il a réussi.

L'esprit de compétition qui prévaut actuellement dans nos sociétés industrialisées pourrait porter à croire que la réussite ne s'obtient qu'en écrasant les autres.

Il n'est rien de plus faux que cette affirmation.

Une réussite basée sur ce principe ne peut être durable.

Aidons les autres à gagner

Plus nous aiderons d'autres personnes à gagner, plus nous gagnerons nous-même.

Ce principe a le mérite de nous aider à devenir meilleur. On améliore ainsi l'image que l'on a de soi et on acquiert une bonne réputation sur laquelle on peut bâtir une carrière solide et une vie harmonieuse.

Une réussite basée sur ce principe est solide et durable, car elle suscite l'approbation de tous.

Laissez-moi vous raconter une seconde anecdote qui confirmera ce qui précède.

J'étais allé à Montréal rendre visite à un photographe de talent très connu au Québec.

Admirant les portraits accrochés dans la salle d'exposition, je lui demandai de me commenter certains d'entre eux que je trouvais intéressants.

L'un des tableaux représentait un homme d'une soixantaine d'années assis derrière un magnifique bureau et dont le visage dégageait une profonde impression de bonté.

Questionnant le photographe, j'appris que cet homme avait émigré au Canada avant sa vingtième année et qu'il avait commencé par travailler de ses mains à des besognes sans gloire.

Faisant partie de la minorité italienne installée à Montréal, il se mit à aider naturellement ses proches en toute occasion.

Plus tard, il décida de travailler à son compte.

Possédant une instruction sommaire, il prit la décision de suivre des cours tout en travaillant et en continuant d'aider la communauté dont il était issu.

Peu à peu, sa réputation grandit et il fut sollicité et consulté par de nombreuses personnes pour ses conseils.

Sa réputation s'étendit au-delà de la communauté italienne, et il fut remarqué par le Premier ministre Trudeau qui le nomma sénateur.

Depuis, cet homme est devenu riche. Son souci permanent d'aider les siens lui a apporté la réussite.

Il a réussi sa vie puis il a réussi dans la vie.

Aidons les autres à gagner et nous gagnerons nous-même.

Cela peut paraître répétitif, mais sachez que l'on ne bâtit pas une réussite valable sur l'échec des autres mais sur leur propre réussite.

Que penserait-on d'un empereur régnant sur un empire en ruines?

Les autosuggestions doivent être formulées de façon précise et motivante.

Pour qu'un projet suscite notre adhésion, l'objectif final devra être lui aussi valable et valorisant tout en restant crédible et accessible.

Enfin, une autosuggestion a plus de force et d'impact si on l'inscrit sur une fiche. À cela il faut ajouter la précision et l'émotion qui motiveront davantage l'effort.

Par exemple, si l'on inscrit:

«Je veux une grosse voiture.»

La motivation sera relativement faible.

Inscrivons plutôt:

«Je désire le dernier modèle de chez Mercedes, la 350 SDL grand luxe, d'ici l'été prochain.»

Avec ces quelques détails, vous vous assurerez d'une grande motivation face à votre projet. En programmant ce but dans le temps, vous mettrez en place sa planification.

Ainsi, vous pourrez effectuer les actions nécessaires à la réalisation de votre projet d'acquisition.

II **PRATIQUE**

Quelle est la meilleure façon d'acquérir les qualités qui vous mèneront à coup sûr vers le succès?

Réponse:

Il vous faut mettre sur papier toutes vos résolutions, vos décisions et vos objectifs. Le fait de les écrire donnera une force et un impact incomparables à tous vos projets.

1° Chaque décision que nous prenons doit être inscrite sur une fiche. Un engagement écrit est plus efficace qu'un engagement mental ou verbal.

2° Ne dépassez pas huit à dix fiches pour une même période. Trop de résolutions en même temps vous mèneront à la dispersion et au découragement.

3° Inscrivez une seule décision par fiche.

4° Consultez vos fiches plusieurs fois par jour, par exemple le matin, à midi et le soir.

5° Lorsqu'une fiche a été pleinement exploitée, remplacez-la par une autre.

6° Enfin, ne décrochez pas avant une période de vingt et un jours. Ce délai est nécessaire au transfert d'une décision à votre subconscient.

Notez vos résolutions sur les fiches réservées à cet effet à la fin de ce chapitre.

Afin d'approfondir votre réflexion et de permettre une meilleure adaptation de la méthode à votre cas, répondez d'une manière détaillée aux quatre questions qui suivent.

1° Quelle est, pour vous, l'action la plus efficace que vous allez accomplir aujourd'hui? Pourquoi?

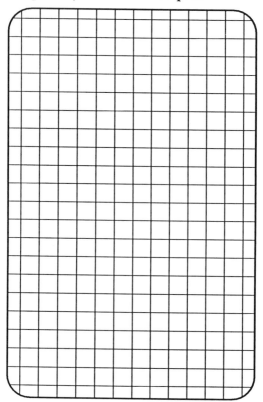

2° Dites comment vous allez vous y prendre pour y parvenir. Développez.

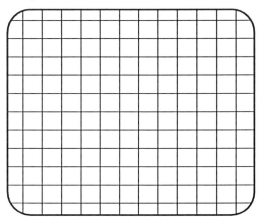

3° Cette action a été accomplie. Que vous a-t-elle apporté? Développez et faites l'analyse de cette action.

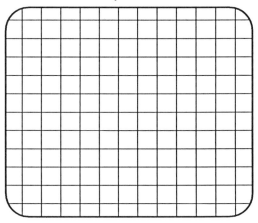

4° Dans le cas d'un échec, analysez-en les raisons et faites votre autocritique. Qu'allez-vous faire pour transformer cet échec en réussite? Développez.

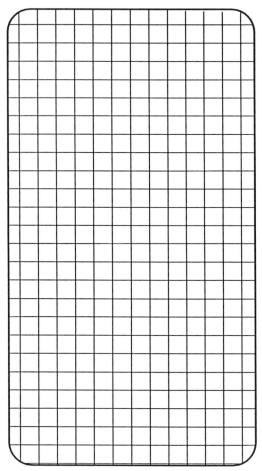

III FICHES DES AUTOSUGGESTIONS

Notez ici les résolutions que vous avez prises aujourd'hui.

Fiche n° 1

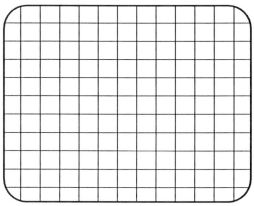

Fiche n° 2

Fiche n° 3

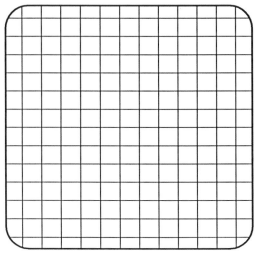

Fiche n° 4

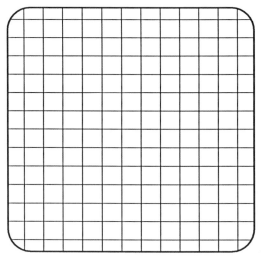

Fiche n° 5

Fiche n° 6

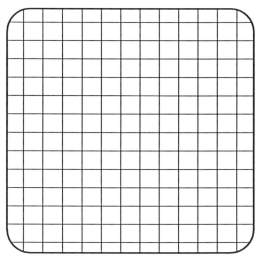

Fiche n° 7

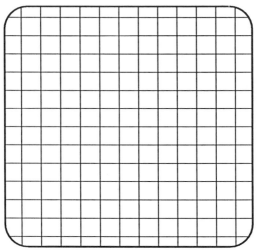

Fiche n° 8

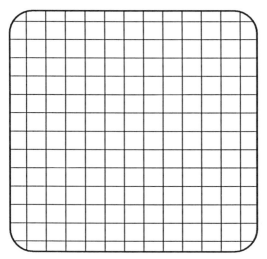

L'ENVIRONNEMENT

I THÉORIE

L'environnement dans lequel nous évoluons est un facteur très important pour chacun de nous. Il nous conditionne de façon implacable vers le succès ou vers l'échec. En sommes-nous toujours conscient?

Cet environnement comporte plusieurs aspects. Il faut distinguer principalement:

1° L'aspect humain

- *L'environnement familial* est, de loin, celui qui nous conditionne... le plus sûrement. Il a façonné notre enfance, notre jeunesse et l'adulte que nous sommes devenu.

- *L'environnement personnel* ou individuel comprend principalement les amis que l'on a ou que l'on a eus ainsi que toutes les relations sociales que nous entretenons.

- *L'environnement professionnel* regroupe les relations de travail internes et externes.

Chacun de nous a inévitablement été confronté à ces trois aspects de l'environnement humain. Cet environnement nous est imposé et nous le subissons tous de manière consciente ou inconsciente.

Si nous jugeons que notre environnement est relativement positif, nous pourrons certainement l'améliorer en agissant de façon constructive à l'intérieur même de celui-ci.

Par contre, si nous prenons conscience que notre environnement est plutôt négatif et qu'il peut être néfaste pour notre avenir, il nous faudra faire un choix et orienter nos relations en fonction de nos objectifs.

Il est évident qu'en matière d'environnement familial, nous agirons tout autrement. Pourquoi ne pas faire évoluer notre famille dans le bon sens?

Être positif dans ses actions et dans ses réactions vis-à-vis de ses proches ne peut que leur être bénéfique.

Ce sera peut-être long, mais imaginez votre satisfaction et votre bonheur le jour où vous aurez réussi. Cela peut constituer le contenu même d'un de vos objectifs.

Pour ce qui est de l'environnement professionnel, le choix sera affaire de stratégie.

Si cet environnement se révèle négatif, **n'hésitons pas**:

Prenons nos distances.

Nous rencontrerons peut-être le même problème avec nos amis, nos relations de travail, nos camarades de loisirs, etc.

Il nous faudra alors reconnaître nos vrais amis et faire les choix qui s'imposent.

Il existe un autre type d'environnement moins visible, mais tout aussi important.

Il s'agit de notre **environnement culturel.**

2° L'aspect culturel

- L'éducation que nous avons reçue de nos parents, les études que nous avons poursuivies, les loisirs intellectuels auxquels nous nous adonnons font partie de notre environnement culturel.

- La lecture, le théâtre, la musique, la peinture et le cinéma sont les aspects extérieurs de cette culture.

Cette culture variée nous permet d'aborder l'existence avec une totale ouverture d'esprit. Elle permet en outre d'accéder à une nouvelle dimension sociale, tout en élargissant nos possibilités de réussite.

Elle favorise également notre intégration à divers milieux. Mais attention! N'oublions pas ce que j'appelle l'intelligence du cœur, sans laquelle nous ne serions que d'affreuses machines. Rappelons-nous ceci:

Aidons les autres à gagner. Il est souvent plus enrichissant de donner que de recevoir.

Tout ce qui précède nous amène inexorablement à nous poser les questions suivantes:

- L'environnement dans lequel j'évolue me permettra-t-il d'atteindre les buts que je me suis fixés? Dois-je rechercher un environnement plus favorable?
- Comment vais-je améliorer mon environnement physique et moral?

Je vous propose un début de réponse à ces questions ou, à tout le moins, un début de réflexion.

1° **Faisons l'inventaire** de nos défauts et de nos qualités et prenons la ferme résolution de corriger les premiers et de développer les secondes.

2° **Changeons notre aspect extérieur**, c'est-à-dire notre habillement et notre façon d'être. Un aspect agréable améliore l'image que l'on a de soi et nous permet de nous sentir plus à l'aise. Changeons notre attitude extérieure ou notre apparence et nous modifierons automatiquement notre image intérieure et extérieure. Nous augmentons ainsi notre capacité d'agir et nous devenons positif.

Cela vous étonne? Souvenez-vous, lorsque vous étiez enfant et que votre mère vous habillait de neuf. Que ressentiez-vous?

3° **Lisons l'histoire des grands hommes**, la biographie des personnages qui ont beaucoup reçu de la vie. Ces lectures nous influenceront favorablement et nous nous identifierons automatiquement à ces personnes.

4° **Assistons aux conférences** des hommes qui marquent l'humanité. Cette démarche nous exaltera, tout en améliorant l'image que nous avons de nous-même.

5° **Développons notre confiance en nous.** Multiplions les expériences qui ne présentent aucun risque afin d'être prêt, le moment venu, à surmonter de plus grandes épreuves.

6° **Soyons souriant et courtois.** En ayant en permanence le sourire et le compliment aux lèvres, nous modifierons favorablement notre environnement. Bref, soyons positif en toute circonstance.

7° **Faisons quelque chose de gratuit** chaque fois que l'occasion se présente et ce, le plus souvent possible. Nous améliorerons ainsi notre propre image.

8° **Choisissons nos relations.** Fréquentons des gens d'une haute valeur morale, des gens enthousiastes devant la vie. Nous acquerrons ainsi une bonne part de leur façon de penser, de leurs manières et de leurs caractéristiques. Nous deviendrons positif à notre tour et nous aiderons d'autres personnes à le devenir.

9° **Faisons une liste de nos qualités.** Inscrivons-les, puis demandons à nos amis ce qu'ils aiment en nous. Ensuite, comparons.

10° **Dressons une liste de nos succès passés.** Si nous avons réussi dans le passé, il n'y a aucune raison pour que nous ne puissions pas réussir aujourd'hui. En adoptant cette façon de penser, nous augmenterons notre confiance en nous et notre capacité d'agir.

11° **Évitons les lectures, les films ou les spectacles dégradants.** À notre insu, ils produisent un effet néfaste sur notre psychisme.

12° **Faisons de nos échecs des tremplins pour nos succès futurs.** Analysons objectivement et sans complaisance les différentes causes de chaque échec. Sachant pourquoi nous avons échoué, nous réussirons la fois suivante.

13° Essayons le plus souvent possible de nous **exprimer en public.**

Et rappelons-nous ceci:

APPLIQUONS-NOUS À TOUJOURS AGIR DE LA FAÇON LA PLUS POSITIVE POSSIBLE.

II PRATIQUE

1° Faites l'inventaire de vos qualités et de vos défauts.

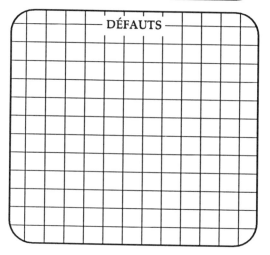

QUALITÉS

DÉFAUTS

2° Qu'allez-vous faire pour changer votre aspect extérieur? Développez.

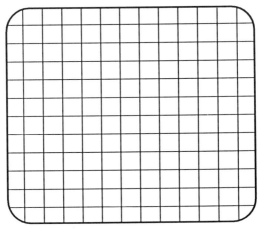

3° Qu'avez-vous lu ces dernières semaines? Qu'allez-vous lire prochainement? Notez.

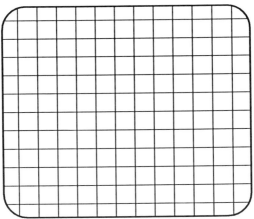

4° Avez-vous assisté à des conférences? Lesquelles?

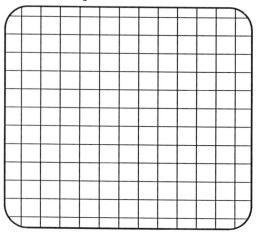

5° Êtes-vous toujours souriant et courtois? Racontez une anecdote signi-
   ficative.

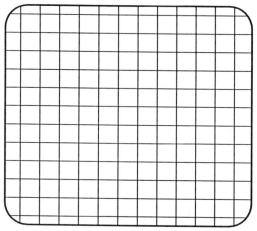

6° Quelle a été votre dernière action
   désintéressée? Racontez.

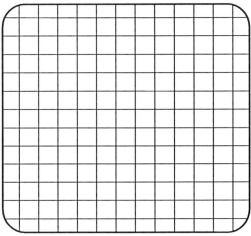

7° Avez-vous déjà parlé en public? À
   quelles occasions?

8° Énumérez vos succès.

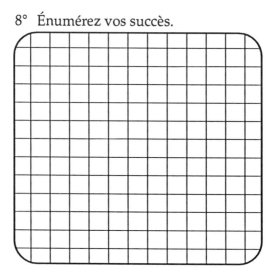

9° Faites une liste de vos qualités. Demandez à vos amis ce qu'ils aiment en vous, puis comparez.

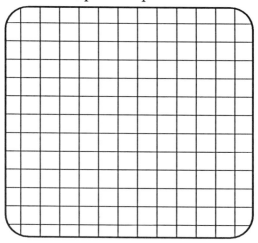

10° Avez-vous vécu une ou des expériences positives à la suite de l'application de cette méthode? Développez.

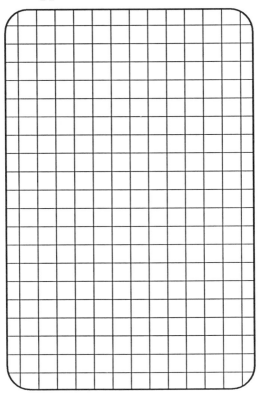

III FICHES DES DÉCISIONS

Notez ici vos décisions concernant votre environnement.

Fiche n° 1

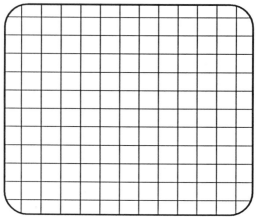

Fiche n° 2

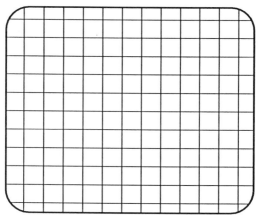

Fiche n° 3

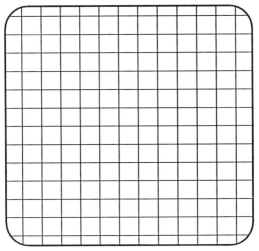

Fiche n° 4

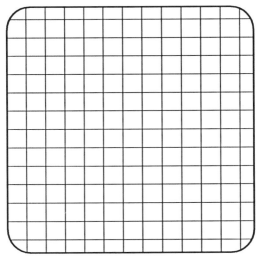

Fiche n° 5

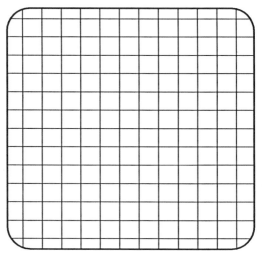

Fiche n° 6

Fiche n° 7

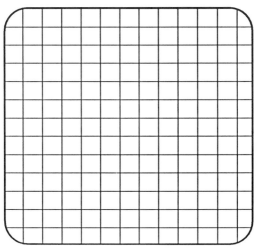

Fiche n° 8

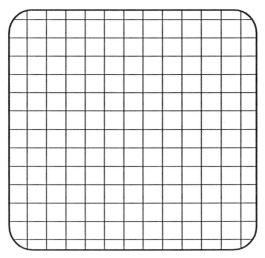

LES HABITUDES

I THÉORIE

L'homme est conditionné par son environnement. Celui-ci engendre des fonctions répétitives qui, une fois acquises, deviennent des habitudes.

L'habitude est une **fonction du subconscient**.

Chaque jour de notre vie, nous effectuons de multiples tâches par habitude: aller à bicyclette, conduite une voiture, etc. Nous accomplissons ces actions sans effort, presque inconsciemment, car nous en avons l'habitude.

En fait, l'habitude présente un intérêt capital dans notre vie.

L'habitude, facteur de progrès

Cette affirmation démontre bien qu'une habitude positive nous est favorable. À l'inverse, une mauvaise habitude nous sera préjudiciable. Nous en reparlerons d'ailleurs plus loin.

Le travail que nous effectuons est donc affaire d'habitude, car nous avons dû apprendre un ensemble de petites tâches qui y étaient rattachées.

Cela n'a pas toujours été facile. Nous avons peut-être connu des périodes de découragement devant l'ampleur du défi à relever.

Puis, peu à peu, les choses se sont mises en place d'elles-mêmes. Certains aspects de cette tâche se sont comme imprimés dans notre subconscient et ils sont devenus des habitudes. De ce fait, la partie consciente de notre esprit s'est trouvée libérée, ce qui lui a permis de se tourner vers d'autres aspects de ce travail.

L'habitude facilite l'action et permet la progression.

L'habitude est une seconde nature. Chaque être humain est libre de choisir une bonne ou une mauvaise habitude, dans la mesure où il en prend conscience. Une habitude peut se conserver, se renforcer, s'affaiblir ou disparaître.

Le changement de son environnement implique souvent un changement dans ses habitudes. C'est pourquoi nous ferons le point de temps à autre afin de pouvoir orienter et diriger notre vie.

J'insiste sur ce point. Malgré la façon souvent inconsciente dont nous subissons nos habitudes, nous devons nous analyser afin de mieux nous connaître.

Nous pourrons alors agir en toute connaissance de cause sur nos bonnes et nos mauvaises habitudes.

GARDONS NOS BONNES HABITUDES ET DÉVELOPPONS-LES. ELLES NOUS FERONT PROGRESSER VERS LE SUCCÈS, VERS LE BONHEUR.

Quant aux autres, les mauvaises, débarrassons-nous-en!

Il est certes plus facile de contracter de mauvaises habitudes que d'en acquérir de bonnes. Tout est question de volonté.

Les vingt et un jours

Lorsque nous avons décidé d'une action précise, il faut nous y tenir de façon régulière pendant **une période de vingt et un jours**. Durant cette période, nous ferons preuve d'autodiscipline et de volonté, qualités nécessaires à l'acquisition ou à l'abandon de toute habitude.

Nous pouvons définir **l'habitude** ainsi:

- C'est la facilité naturelle à refaire ce que l'on a déjà fait.
- C'est un élément d'unité et de continuité.
- C'est une condition de progrès et un facteur d'économie.

Lorsque nous avons acquis ou abandonné certaines habitudes, prenons de nouvelles décisions et recommençons jusqu'à ce que nous ayons obtenu tout ce que nous désirons.

Cette volonté quotidienne implique ce que nous avons coutume d'appeler **l'autodiscipline**.

L'autodiscipline appliquée jour après jour devient ainsi une habitude et elle apporte de grandes satisfactions.

La volonté

Il n'est rien de plus simple que de prendre de bonnes résolutions. Il s'agit **simplement de le vouloir**.

Pas de le vouloir en passant, mais avec toute sa détermination, avec toute son énergie. Tous les jours, à chaque instant.

À noter:

- Au bas de chaque fiche, notez la progression des bonnes habitudes et la régression des mauvaises.

- Lisez vos fiches chaque jour et plusieurs fois dans la journée du lendemain. Cet exercice renforcera votre volonté.

- Mettez de l'émotion dans chaque message, par exemple:

N'écrivez pas: «Je dois faire mon jogging tous les jours»

Mais plutôt: «Tous les matins, je vais courir sur ce merveilleux circuit et prendre ma dose de nature et d'oxygène.»

- Enfin, chaque semaine, faites le point des résultats que vous obtenez. Et analysez-les.

Le **test** qui suit vous aidera à définir les bonnes et les mauvaises habitudes que vous avez l'intention d'acquérir ou d'abandonner. Notez-les sur vos fiches «Habitudes».

1° Avez-vous confiance en vous? Développez.

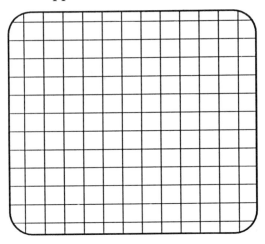

2° Restez-vous calme et souriant en toute circonstance?

3° Êtes-vous sûr de vous? Développez.

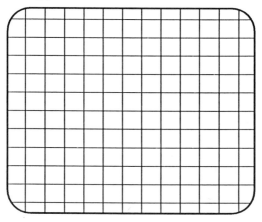

4° Êtes-vous bon observateur? Développez.

Faites le point sur vos réponses et reportez vos décisions sur les fiches «Habitudes» prévues à cet effet.

II **PRATIQUE**

1° *Comment se défaire de ses mauvaises habitudes?*

- Détectons-les et inscrivons-les sur nos fiches (une par fiche).

- Évertuons-nous à nous en débarrasser, c'est-à-dire que lorsque nous prenons conscience de céder à la mauvaise habitude en question, réfléchissons et agissons de façon positive.

- Notons régulièrement les progrès accomplis.

- Lorsque nous constatons que la mauvaise habitude a disparu, passons à une autre.

2° *Comment acquérir de bonnes habitudes?*

- Définissons tout d'abord quelles sont les bonnes habitudes que nous désirons acquérir.

- Notons-les également sur nos fiches.

- Appliquons-nous à accomplir les actions nécessaires à l'acquisition de ces habitudes et ce, tous les jours pendant une période de trois semaines.

- Lorsque nous avons réussi, passons à une autre.

À vous de jouer!

Les bonnes habitudes

Exposez la façon dont vous allez vous y prendre pour les acquérir.

Dites pourquoi ou dans quel but vous désirez les acquérir.

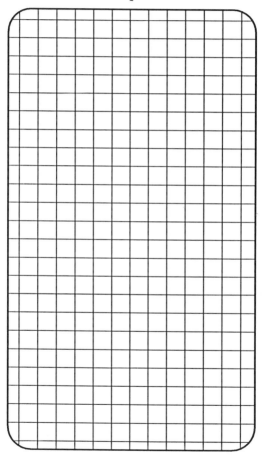

Les mauvaises habitudes

Comment allez-vous vous y prendre pour vous en débarrasser?

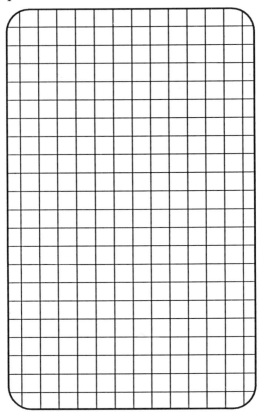

La réponse à ces questions vous indiquera le genre d'action à mener. Notez les résultats dans la rubrique «Notes personnelles».

III FICHES DES HABITUDES

A) À acquérir:

Fiche n° 1

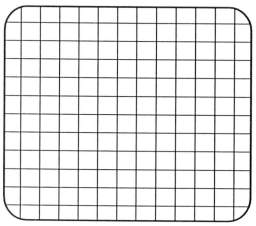

Fiche n° 2

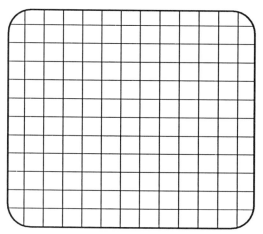

Fiche n° 3

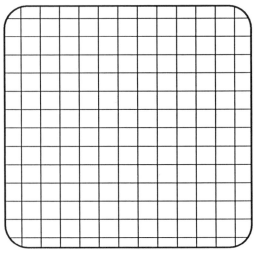

Fiche n° 4

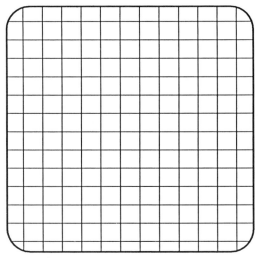

B) À corriger:

Fiche n° 5

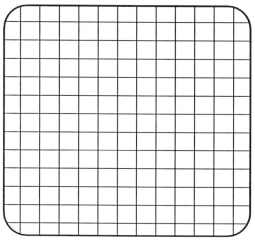

Fiche n° 6

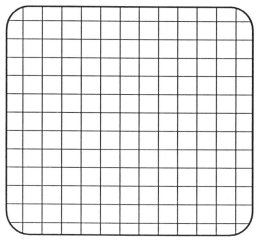

Fiche n° 7

Fiche n° 8

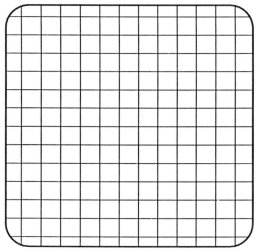

NOTES PERSONNELLES

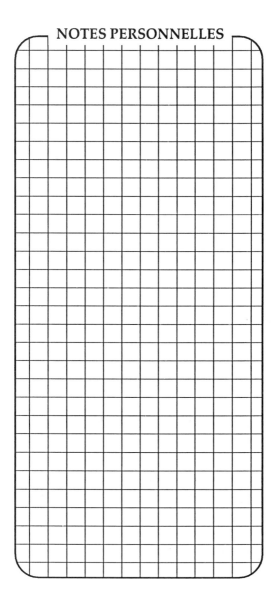

LES OBJECTIFS

I THÉORIE

Un objectif est un but que nous nous fixons et que nous devons nous efforcer d'atteindre.

Ce parcours sera jalonné d'obstacles qu'il faudra franchir mais aussi d'appuis qui nous aideront à progresser.

Un objectif important va impliquer la mise en place d'objectifs intermédiaires reliés, évidemment, au but final.

Tout au long de ce parcours, nous allons devoir appliquer une stratégie afin d'arriver au but visé.

On peut classer les objectifs en trois catégories bien distinctes.

Les grands objectifs

Il s'agit, naturellement, des grandes orientations de la vie dont les échéances sont souvent à long terme.

C'est la marche du haut de notre escalier.

Les objectifs intermédiaires

Ces objectifs vont également dans le sens du but final et ils serviront d'appui à nos actions pour atteindre nos grands objectifs. Ils comportent généralement des échéances à moyen terme. Nous sommes, en fait, sur l'un des paliers de notre fameux escalier.

Les objectifs stratégiques

Il s'agit ici d'objectifs à court terme, concrétisés par des actions ponctuelles allant, bien sûr, dans le sens du but suprême.

Ce sont les multiples marches de notre escalier.

Voilà pour la théorie! Nous verrons plus loin comment nous allons la mettre en application.

Avant tout, il est indispensable de prendre le temps de bien réfléchir avant de se fixer des objectifs. N'oubliez pas que ces objectifs devront être valables et accessibles, car vous allez vous engager pour de longues années.

Un objectif est un phare vers lequel nous axerons toutes nos actions.

Pourquoi un phare?

Pour nous guider à travers les écueils de la vie. Il sera visible et nous indiquera notre destination en permanence. Si nous perdons courage, il sera là pour nous aider à relever la tête et à continuer.

N'oublions pas que la réussite est la réalisation d'objectifs que nous avons librement choisis.

La réussite est une affaire personnelle.

Imaginez un instant un bateau qui quitte le port sans connaître sa destination. Inconcevable, n'est-ce pas? Il en est de même pour nous.

Les différentes catégories d'objectifs

Il existe plusieurs catégories d'objectifs. Nous pouvons les classer de la façon suivante:

1° *Les objectifs familiaux*

- L'orientation que l'on souhaite donner à sa famille.
- Un projet de voyage, l'achat d'une maison, etc.

2° *Les objectifs mentaux*

- Corriger un défaut.
- Acquérir une qualité, etc.

3° *Les objectifs physiques*

- Récupérer après une maladie.
- Faire du sport pour avoir une meilleure santé.
- Faire de la compétition de haut niveau.
- Surmonter un handicap, etc.

4° *Les objectifs sociaux*

- Aider les autres.
- S'engager dans un mouvement pour la jeunesse.
- Militer pour une cause, etc.

5° *Les objectifs spirituels*

- Adhérer à une religion.
- Chercher à être meilleur, etc.

6° *Les objectifs financiers*

- Mettre des projets à exécution dans le but d'acquérir des biens.
- Gagner de l'argent en faisant des affaires.

Cette liste n'est pas exhaustive et elle n'est proposée qu'à titre d'exemple.

Dans la réalité, les objectifs sont infiniment plus nombreux et variés.

De plus, tous nos buts nous sont extrêmement personnels. Il existe autant de réussites qu'il y a de personnes.

Les objectifs doivent être déterminés de façon précise. Pour y adhérer, il est nécessaire d'inclure l'émotion et le sentiment afin de les humaniser. Un objectif ambitieux et haut en couleur sera plus motivant qu'un objectif plat et sans grandeur.

N'oublions pas pour autant que le fait de réussir sa vie est le résultat de l'accumulation d'une quantité de petites réussites valables.

Comment déterminer nos objectifs

Disons, de façon générale, que:

1° *Les objectifs doivent être grands.*

Seul un objectif ambitieux engendre la stimulation nécessaire à la réussite. S'il n'est pas grand, il doit pour le moins être valable.

2° *Les grands objectifs doivent être établis sur une longue échéance.*

Il est nécessaire de planifier à long terme nos grands objectifs.

Pourquoi?

Tout simplement parce que cela nous permettra de mettre en place nos objectifs intermédiaires et nos objectifs stratégiques.

Selon l'importance de notre but final, nous aurons besoin d'une période plus ou moins longue pour le réaliser. Il nous faudra donc accomplir toutes les actions requises et nous préparer à assumer la réussite que nous obtiendrons.

3° *Les objectifs peuvent aussi être quotidiens.*

Retenez bien ceci. C'est le point le plus important, celui sur lequel prend appui toute la structure de la méthode.

La différence entre les grands et les petits objectifs quotidiens est la prise de conscience que pour atteindre un brand but, il faut y travailler chaque jour et à chaque instant. Il faut faire en sorte que toutes nos actions journalières soient des réussites.

«*Les petits ruisseaux font les grandes rivières.*»

De plus, les objectifs quotidiens sont les meilleurs indicateurs de notre progression et les meilleurs éléments de caractère.

4° *Les objectifs doivent être précis.*

Nous avons parlé de la grandeur de nos objectifs. C'est bien, mais ce n'est pas suffisant. Nos objectifs devront être précis et pensés en fonction de nos buts finaux. En conséquence, tous nos objectifs devront être adaptés à notre personnalité.

5° *Les objectifs doivent être structurés.*

Il faut en effet mettre en place une trame, une structure à la base de nos objectifs. C'est sur elle que nous adapterons nos échéances annuelles, mensuelles, hebdomadaires et quotidiennes.

Il faut établir un calendrier qui nous engagera, nous mobilisera dans toutes nos actions. Ce sera le seul moyen de mesurer notre progression et nos résultats.

6° *Enfin, il est primordial d'établir un échéancier pour nos objectifs.*

Cet échéancier peut se diviser comme suit:

- Les grands objectifs

Après avoir défini ce que l'on veut être dans vingt ans, définissons ce que nous désirons être dans dix ans, puis dans cinq ans.

- Les objectifs intermédiaires

C'est la subdivision des grands objectifs en périodes pouvant aller de trois ans à un an.

Les objectifs stratégiques

Ce sont tous les objectifs à court terme qui seront programmés afin d'accéder aux objectifs intermédiaires, puis au but final. Les échéances de ces objectifs stratégiques seront de l'ordre de six mois, trois mois et une semaine.

La plus petite subdivision sera **le plan journalier,** dont nous étudierons plus tard le fonctionnement.

Il est évident que nous devrons faire preuve d'autodiscipline pour arriver à nos fins. Seule une bonne organisation doublée d'une intelligente planification nous aidera à progresser vers le succès.

La planification de nos objectifs nous permettra de jalonner efficacement notre parcours et d'aborder plus facilement les problèmes futurs.

Par ailleurs, cette planification nous évitera la désagréable impression d'impuissance, voire de culpabilité, que nous ressentons chaque fois que nous nous attaquons à une tâche importante.

La subdivision d'un objectif en une multitude de petites actions vous portera à avancer progressivement, à observer sereinement vos résultats et à vous situer tout au long du parcours.

Vous aurez le sentiment de maîtriser votre vie, d'être efficace et bien dans votre peau. Vous ne connaîtrez plus l'angoisse.

Cette organisation, en vous rendant plus efficace, vous libérera pour vos loisirs. Vous profiterez davantage de votre famille et de vos enfants. Vous pourrez avoir des activités parallèles telles que le sport et toutes les activités culturelles que la société vous propose.

Enfin, la planification favorisera l'autodiscipline, car il est plus aisé de mesurer quotidiennement l'évolution de nos actions si elles ont des dimensions humaines.

Si nous réussissons chaque jour, semaine après semaine, l'ensemble ou la plupart de nos petites actions, nous serons automatiquement porté à continuer. Nous alimenterons notre automotivation. Nous irons ainsi au-delà de tout ce que nous pouvions imaginer.

II **PRATIQUE**

1° Définissez ici ce que sont vos grands objectifs.

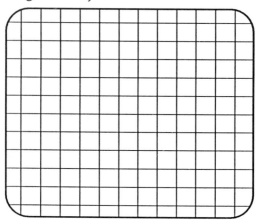

2° Dressez la liste de vos objectifs intermédiaires.

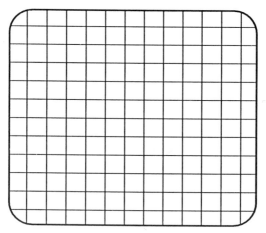

3° Notez ci-dessous vos objectifs stratégiques.

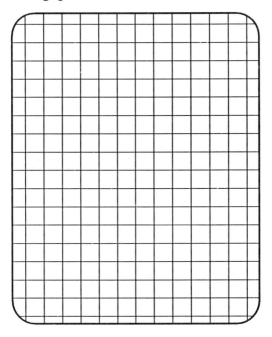

Établissez ci-dessous l'échéancier de vos divers objectifs.

1° Vos grands objectifs sur:

10 ans: _____

5 ans: _____

2° Vos objectifs intermédiaires sur:

3 ans: _____

1 an: _____

3° Vos objectifs stratégiques sur:

6 mois: _____

3 mois: _____

Reportez ensuite cette liste sur les fiches «Objectifs» en notant l'échéance que vous vous êtes fixé.

N'oubliez pas: Un seul objectif par fiche.

III FICHES DES OBJECTIFS

Les grands objectifs

Échéance: 10 ans

Fiche n° 1

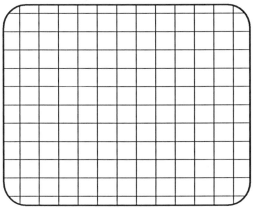

Fiche n° 2

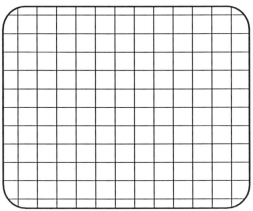

Fiche n° 3

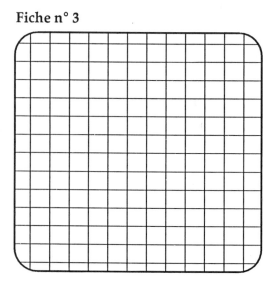

Fiche n° 4

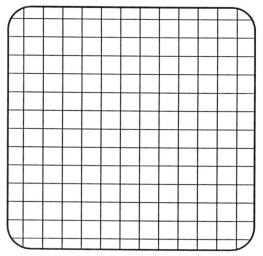

Fiche n° 5

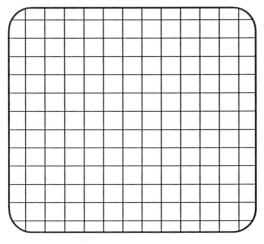

Fiche n° 6

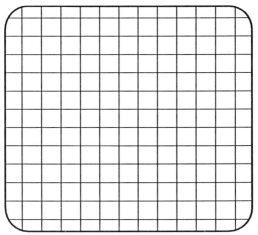

Fiche n° 7

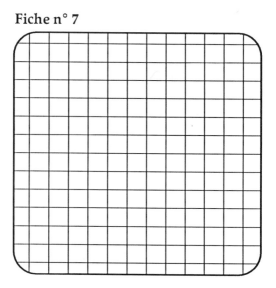

Fiche n° 8

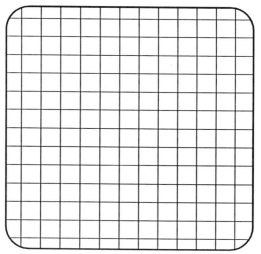

Les objectifs intermédiaires

Fiche n° 9

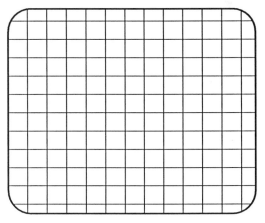

Fiche n° 10

Fiche n° 11

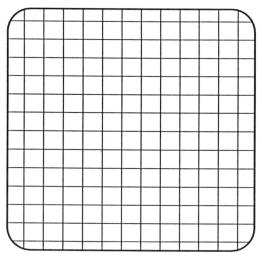

Fiche n° 12

Fiche n° 13

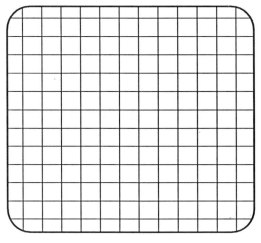

Fiche n° 14

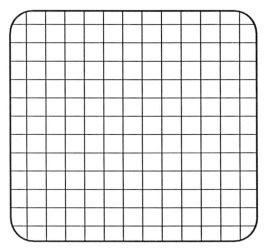

Fiche n° 15

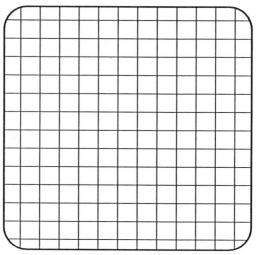

Fiche n° 16

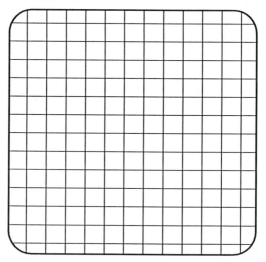

Les objectifs stratégiques

Fiche n° 17

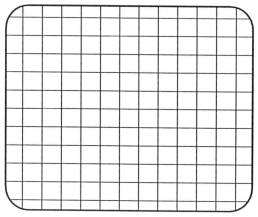

Fiche n° 18

Fiche n° 19

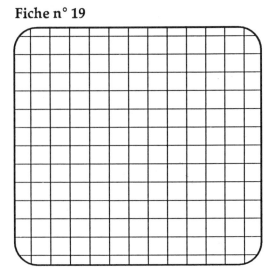

Fiche n° 20

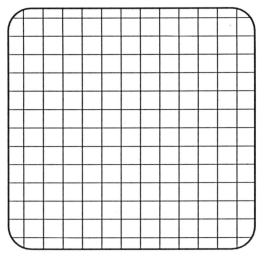

Fiche n° 21

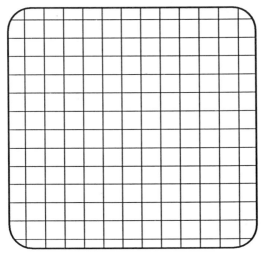

Fiche n° 22

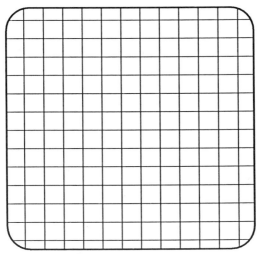

Fiche n° 23

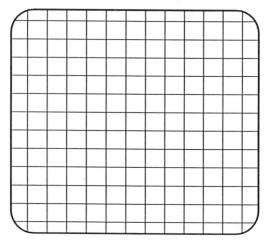

Fiche n° 24

Fiche n° 25

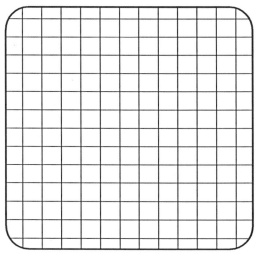

Fiche n° 26

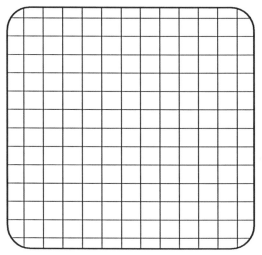

Fiche n° 27

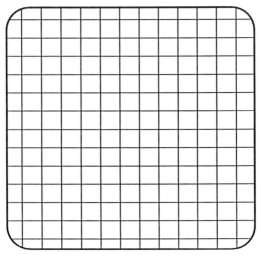

Fiche n° 28

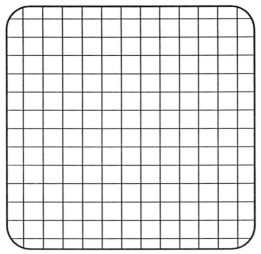

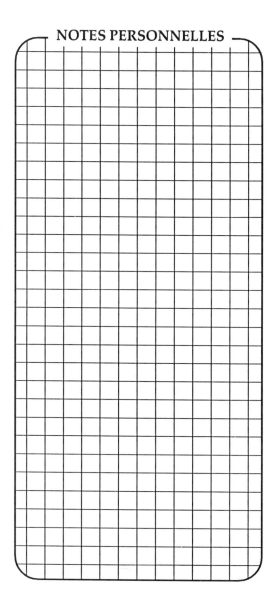

NOTES PERSONNELLES

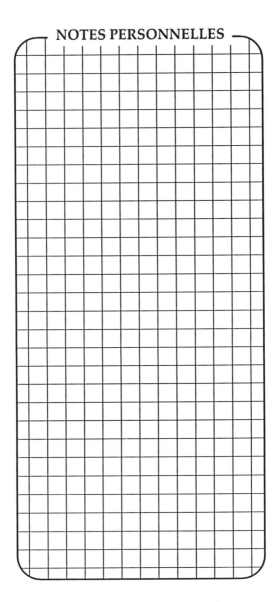

NOTES PERSONNELLES

L'ORGANISATION PERSONNELLE

I THÉORIE

L'organisation est d'abord une affaire d'ordre et, par extension, de bien-être. C'est aussi une image de nous-même que nous offrons à notre entourage.

L'ordre facilite le succès

Imaginez un seul instant que l'on vous fasse visiter une entreprise où le désordre règne en maître.

Imaginez encore une personne assise derrière son bureau qui disparaît sous une montagne de dossiers prête à s'effondrer.

Sur une chaise, quelques revues et livres ouverts disputent la place à une bouteille de *coca-cola* à moitié vide. Sur une autre, un cendrier déborde de mégots. Face à ce fouillis, il ne vous reste plus qu'une solution: **la fuite**.

Cet exemple volontairement poussé à l'extrême va nous permettre de mettre en évidence les avantages de l'ordre.

- *L'ordre facilite le travail.*

Plus de temps perdu en recherches longues et fastidieuses. Plus d'énervement.

- *L'ordre embellit tout ce qu'il touche.*

Il est même le fondement de la beauté et de l'harmonie qui sont les bases de la réussite et du bonheur.

Ces affirmations se vérifient dans de nombreux cas:

Une maison bien rangée et décorée agréablement, un jardin bien aménagé et correctement entretenu sont de belles choses, agréables à regarder. De plus, cet environnement paisible influence favorablement les propriétaires des lieux et leurs visiteurs.

Un repas pris autour d'une table bien dressée n'est-il pas plus attrayant qu'un repas pris à la sauvette, sur le seul coin disponible d'une table passablement encombrée?

L'ordre est le début, le passage obligé de toute activité qui veut évoluer favorablement.

- *L'ordre est un facteur de joie.*

Il permet d'éviter les conflits, les difficultés, les tracas et les irritations, le stress et l'angoisse.

Il favorise les relations sociales, le sourire et... **le succès.**

Nous étudierons plus loin les deux aspects fondamentaux de l'ordre, qui sont reliés au **mental** et au **physique.**

L'ordre mental

Mais, me direz-vous, «qu'est-ce que c'est?»

Tout simplement, c'est être en accord avec soi-même dans ses pensées et dans ses actes.

C'est être bien installé dans sa propre vie et posséder **l'intelligence du cœur.**

Il faut savoir organiser toutes les actions et tous les devoirs que la vie sociale nous impose. Et cela commence par la planification de son temps. Disons-nous ceci:

«Désormais, je mettrai de l'ordre dans ma vie.»

C'est une excellente résolution, mais comment allez-vous vous y prendre? Utilisez tout simplement vos fiches de décisions. Faites le point sur ce que vous voulez et inscrivez-le.

Une fois vos fiches de décisions constituées, planifiez vos actions futures.

Découvrez l'art et la manière de gérer harmonieusement vos heures de travail et vos heures de loisir.

Cette activité commencée, poursuivez-la sans vous décourager. Soyez régulier.

Au début, tout ira bien. Puis, un jour, vous aurez une défaillance et vous aurez alors tendance à vous laisser aller.

Dans ce cas, réagissez et persévérez. Dès que vous aurez surmonté vos problèmes, vous reprendrez courage.

Peu à peu, vous en prendrez l'habitude, et la victoire viendra couronner vos efforts quotidiens.

EFFORÇONS-NOUS DE SOURIRE ET LE SUCCÈS NOUS SOURIRA.

L'ordre physique

Cette notion nous est beaucoup plus familière , car elle est visible. Il s'agit tout simplement de l'ordre matériel:

- Ranger sa maison et son établi de façon fonctionnelle et pratique, où chaque chose est à sa place.

- Classer ses papiers de façon à pouvoir trouver n'importe quel d'entre eux en moins de trente secondes.

- Connaître tout ce que l'on possède et en faire un inventaire écrit, précis et complet.

En ce qui concerne l'emploi du temps, il n'existe rien de mieux qu'un agenda. Une variante acceptable peut consister en l'emploi de fiches. Nous en reparlerons d'ailleurs plus loin.

Si c'est possible, utilisez la méthode du tableau.

Dans votre chambre, votre salon, votre bureau ou votre garage, installez un tableau d'affichage ou autre et notez-y toutes les actions que vous avez à faire.

Vous les effacerez lorsqu'elles auront été accomplies pour les remplacer par d'autres.

Cette méthode a l'avantage de mettre en évidence sous vos yeux, de façon permanente, l'ensemble des actions que vous devez faire.

Votre entourage, ayant connaissance de votre plan d'organisation, verra à son bon fonctionnement pour le bien de tous.

Pour conclure, nous dirons qu'il ne faut pas tomber dans l'excès, voire dans la manie: la perfection se situe dans un juste milieu.

L'autodiscipline

Comme nous l'avons déjà dit, la volonté doit être le support de toute action, de tout objectif. Cette volonté au quotidien sera ce que nous appelons couramment **l'autodiscipline**. Sans elle, nous perdons le fil conducteur de nos actions et nous n'avons pas ou nous avons peu de résultats.

L'autodiscipline est le point commun de tous ceux qui réussissent. Trop peu de gens en sont conscients.

La réussite implique le dévouement, l'engagement, l'autodiscipline et la volonté.

Ne vous méprenez pas! Il ne s'agit pas là de sacrifice mais, au contraire, d'espoir.

Acquérir la volonté, c'est prendre possession de notre esprit avec une telle force que nos émotions et nos envies sont mises sous notre pouvoir.

La volonté est un moteur que seule la raison peut arrêter. Aucun obstacle extérieur ne peut le faire.

Avoir le pouvoir sur ses actions est primordial.

Quand nous avons en nous cette force, cette volonté, nous nous éloignons des gens qui laissent inconsciemment dériver leur vie.

Nos pensées deviennent positives.

Nos actes deviennent positifs et efficaces.

Nous marchons vers la réussite et vers le bonheur.

L'organisation doit être étroitement liée à la volonté, surtout au début.

Puis l'habitude prend le relais et, un jour, l'organisation que nous avons voulue devient un état naturel pour chacun de nous.

N'oublions pas la règle des vingt et un jours.

L'organisation, à ce stade, embellit notre vie et la rend plus harmonieuse.

Nous devenons plus efficace, plus disponible pour notre famille et pour nos amis.

En conséquence, notre horizon s'élargit et notre vie va s'enrichir par le simple fait que nous maîtrisons notre existence.

Réussir sa vie et réussir dans la vie ne sont peut-être pas aussi incompatibles que l'on a pu le dire. N'est-ce pas là une nouvelle voie à explorer?

II PRATIQUE

1° Donnez votre définition de l'ordre
   mental.

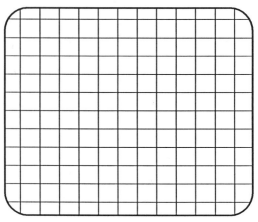

2° Comment allez-vous vous y prendre
   pour organiser votre vie?

3° Notez ici ce que vous allez faire pour améliorer votre ordre physique.

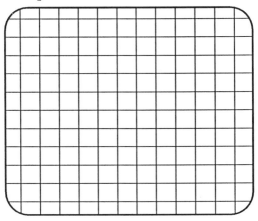

4° Adaptez à votre cas la notion de volonté. Qu'allez-vous faire pour la concrétiser?

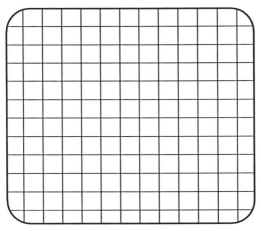

5° Définissez votre opinion personnelle:

du bonheur

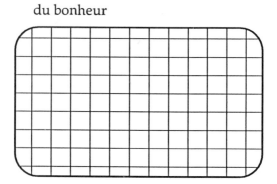

de la réussite

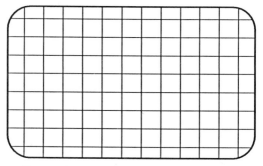

Les réponses aux questions ci-dessus vous permettront de mieux situer votre approche de la méthode et de mieux l'adapter à votre cas personnel.

N'oubliez pas de reporter vos décisions sur les fiches prévues à cet effet.

III FICHES D'AUTODISCIPLINE

Fiche n° 1

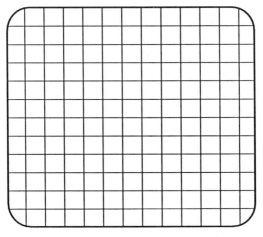

Fiche n° 2

Fiche n° 3

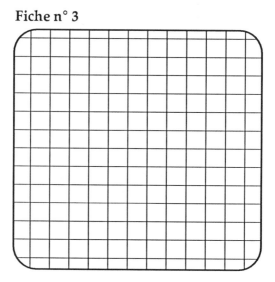

Fiche n° 4

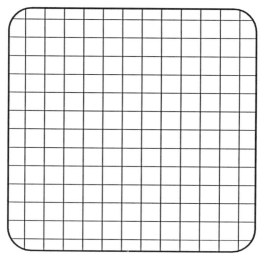

Fiche n° 5

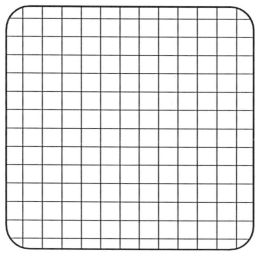

Fiche n° 6

Fiche n° 7

Fiche n° 8

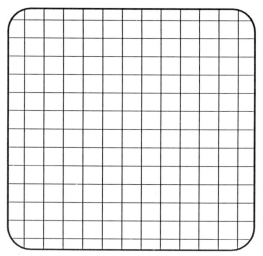

NOTES PERSONNELLES

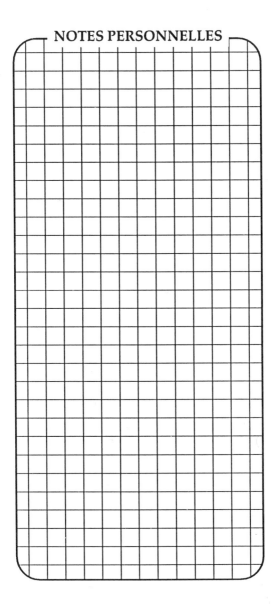

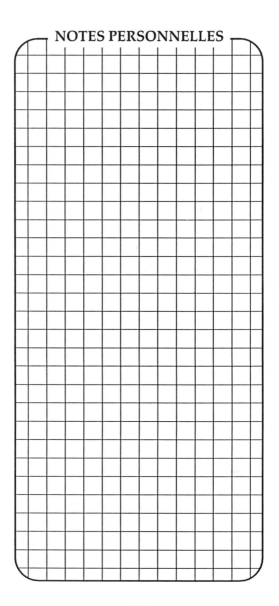

NOTES PERSONNELLES

LA MÉTHODE

I **THÉORIE**

Ce chapitre est le plus important de tous. Il est, en fait, la clef de la présente méthode. Il peut s'adapter à chaque personne et à chaque cas, quels qu'ils soient.

De plus, la méthode proposée est extrêmement simple. Elle est facile à suivre et à exploiter. Elle est si simple, en fait, que des millions de personnes n'y pensent pas et passent ainsi à côté d'une multitude de possibilités qui enrichiraient leur vie. La plupart des gens agissent souvent de façon maladroite, faisant mille détours avant d'atteindre (ou de ne pas atteindre) leurs buts.

La simplicité même de cette méthode en garantit l'efficacité.

Ce système met en jeu la plus petite division de l'ensemble de nos objectifs, à savoir: **aujourd'hui.**

La liste des actions

Il est très motivant d'agir à chaque jour et de faire à chaque soir le point des actions réussies.

Chaque jour réussi motive automatiquement l'effort du lendemain, et ainsi de suite.

Pour gérer notre temps de la manière la plus efficace possible, appliquons dès aujourd'hui les principes généraux qui vont suivre.

Faites ce soir votre liste des six actions que vous avez décidé d'accomplir demain.

La méthode

1° Inscrivez sur une fiche les six actions que vous avez décidé de mener à bien.

2° Classez-les par ordre décroissant d'importance. Mettez la plus importante en première place et passez ensuite au numéro deux. Et ainsi de suite jusqu'a l'action numéro six.

La liste des actions à accomplir:

Action n° 1: _____

Action n° 2: _____

Action n° 3: _____

Action n° 4: _____

Action n° 5: _____

Action n° 6: _____

Pourquoi ce soir?

Tout simplement parce qu'il est plus logique de planifier une journée avant qu'elle commence. Le soir est une période propice, car c'est à ce moment que l'on fait le point sur la journée écoulée et que l'on peut prévoir ce que l'on fera le lendemain.

En déterminant ainsi les actions à accomplir avant de s'endormir, on autosuggestionne son subconscient qui en intégrera l'information.

Le lendemain, on pourra se consacrer à l'action et à elle seule.

L'accomplissement des six actions

1° Dès la première heure, attaquez-vous à **l'action n° 1.**

N'abandonnez pas avant qu'elle soit entièrement exécutée.

2° Ensuite, passez à **l'action n° 2.** Allez jusqu'au bout avant de passer à **l'action n° 3.**

Si, pour une raison ou une autre, vous ne pouvez pas terminer une action, passez à la suivante et faites-la. Puis revenez à celle que vous avez délaissée.

Si, d'aventure, il s'avère qu'une action ne puisse pas être terminée le jour même, reportez-la au numéro 1 de votre liste du lendemain.

3° Effectuez vos actions sans vous laisser distraire, jusqu'à **l'action n° 6.**

4° Répétez le processus tous les jours de la semaine pendant cinq jours. C'est amplement suffisant.

Réservez votre week-end à votre famille, à vos amis et à vos loisirs. N'oubliez pas la règle des vingt et un jours, qui est la période nécessaire à l'acquisition de cette méthode, qui se transformera ensuite en habitude.

Ne dites pas: «Je vais le faire», **FAITES-LE.**

Réflexions à propos de cet exercice

Certains jours, vous n'aurez peut-être pas accompli l'ensemble des six actions planifiées. Peut-être que vous n'en aurez effectué que trois ou quatre. Allons plus loin encore et imaginons le pire.

Vous n'en avez accompli qu'une seule.

Ne vous découragez pas. Si vous n'avez effectué que l'action n° 1, vous aurez mené à bien l'action la plus importante.

Avec le temps, vous allez vous apercevoir que vous ferez vos six actions de plus en plus facilement.

Insistons:

Même si nous n'effectuons qu'une seule action par jour, nous nous plaçons quand même au-dessus de la mêlée.

Bien des gens n'accomplissent jamais l'action n° 1.

La joie d'être positif

Voyons ensemble ce que cette méthode va vous apporter.

La liste que vous établissez chaque soir est une prise de conscience de votre avenir, dans la mesure où vous choisissez des actions importantes et valables.

Vous ferez ainsi partie des deux personnes sur cent qui utilisent cette technique et qui réussissent.

Ne limitons pas cette technique à notre vie professionnelle. Étendons-la à notre vie familiale. Notre journée est partagée entre notre travail et notre famille. Ne négligeons pas l'un au profit de l'autre. Menons les deux de front. Privilégier seulement le travail entraîne, si l'on n'y prend garde, une dégradation du tissu familial et, par voie de conséquence, notre travail en souffre tôt ou tard.

Au risque de me répéter, je vous demande donc de persévérer pendant vingt et un jours.

Alors, vous vous apercevrez, peu à peu, que votre efficacité croît chaque jour ainsi que votre sens de l'organisation.

Vous accomplirez facilement trois ou quatre fois plus d'actions.

Vingt et un jours pour changer votre vie

Maintenant, posez ce livre. Prenez une feuille de papier et notez les six actions que vous allez accomplir demain. Pas n'importe lesquelles! Pas n'importe comment!

Réfléchissez bien et inscrivez les actions qui vont dans le sens de vos projets actuels, en commençant par la plus importante.

Destination: succès

Maintenant, voyons où tout cela va nous mener. Imaginons que nous n'accomplissons qu'une seule action par jour.

- **En 1 mois:**   nous aurons accompli 22 **actions** importantes.
- **En 3 mois:**   **66 actions importantes** auront été menées à bien.
- **En 1 an:**   ou 11 mois, plus exactement, **1 452 actions.**

Il s'agit ici d'une seule action par jour. Mais si nous effectuons les six actions, nous aurons accompli:

- **En 1 semaine:** 30 actions.
- **En 1 mois:**   **132 actions** en 22 jours.
- **En 1 an:**   ou 11 mois, plus exactement, **1 452 actions.**

Cette approche mathématique peut paraître rébarbative. Alors, ne regardez pas le résultat d'une année.

Pensez seulement à inscrire chaque soir les six actions les plus importantes à accomplir le lendemain et... accomplissez-les!

Essayez d'imaginer où vous en serez dans un an avec 1 452 actions réussies.

Six actions par jour...

... jour après jour.

II PRATIQUE

Les six actions à accomplir aujourd'hui

Action n° 1

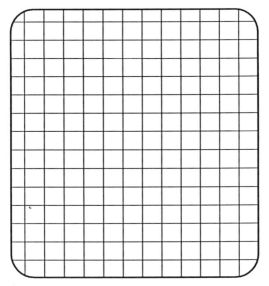

Action n° 2

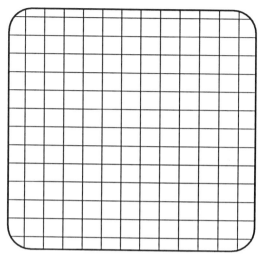

Action n° 3

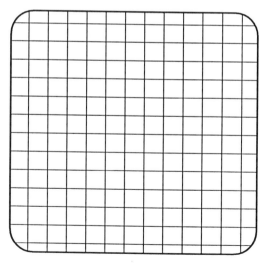

Action n° 4

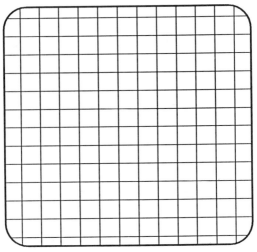

Action n° 5

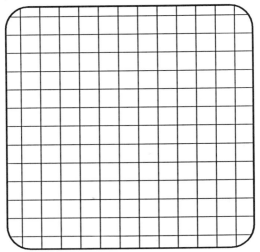

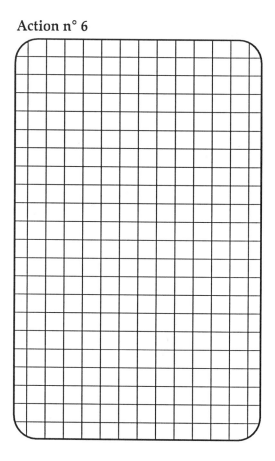

Demain soir, après avoir fait le point sur votre journée, prenez une feuille volante et faites une nouvelle liste comportant six autres actions.

En aucun cas ne jetez ces listes, mais classez-les par ordre chronologique.

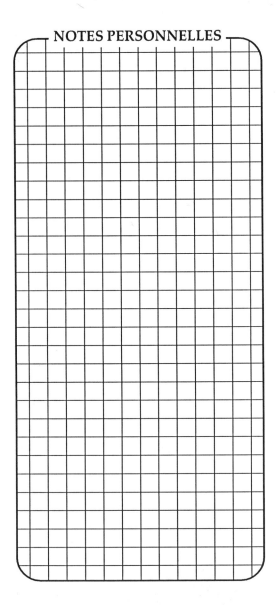

NOTES PERSONNELLES

Les résultats mensuels

1° Combien d'actions avez-vous accomplies le premier jour?

Lundi: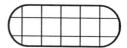

2° Les jours suivants?

Mardi: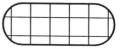

Mercredi:

Jeudi: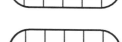

Vendredi:

3° Sentez-vous une amélioration notable de votre capacité à agir à l'issue de cette première semaine? Développez.

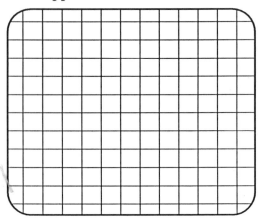

4° Inscrivez le nombre total d'actions que vous avez réussies au cours de la deuxième semaine.

Total: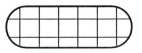

5° Puis de la troisième semaine.

Total: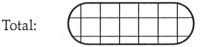

Important:

Notez ces chiffres et analysez vos progressions.

6° Faites le bilan de votre premier mois d'application de la méthode des six actions quotidiennes.

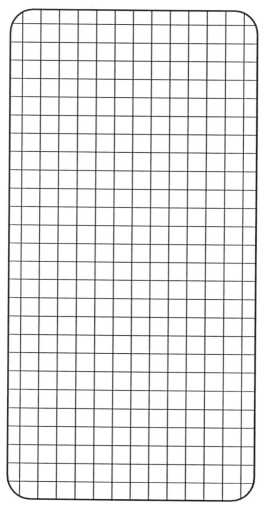

7° Avez-vous réalisé certains objectifs que vous vous étiez fixés? Développez à l'aide d'un exemple précis.

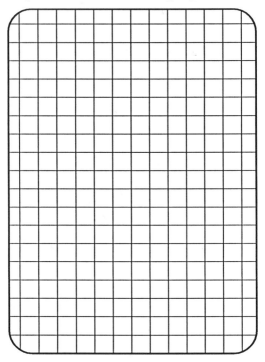

Important:

Faites votre deuxième liste (Jour 2) sur une feuille volante que vous porterez en permanence sur vous.

Datez la première liste (celle du livre) des six actions. Vous pourrez ainsi situer dans le temps cette **première grande décision**.

III FICHES DES RÉSULTATS POUR VOS OBJECTIFS

Vos objectifs stratégiques

Échéance: 3 mois

Résultat n° 23

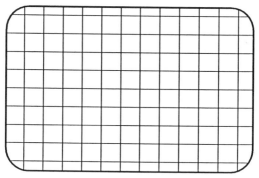

Résultat n° 24

Les fiches de résultats correspendent aux numéros de fiches des objectifs.

Résultat n° 25

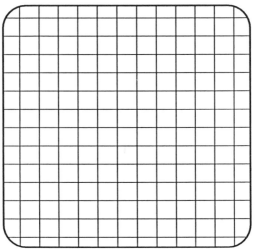

Résultat n° 26

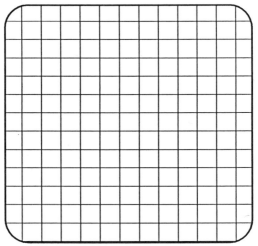

Résultat n° 27

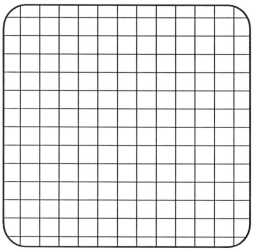

Résultat n° 28

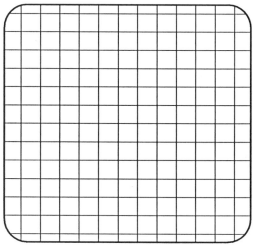

Résultat n° 47

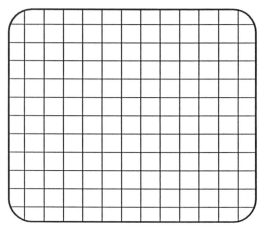

Résultat n° 48

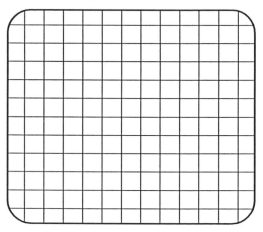

Résultat n° 49

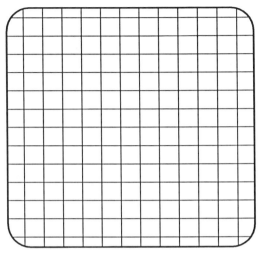

Résultat n° 20

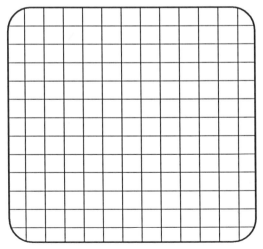

Résultat n° 21

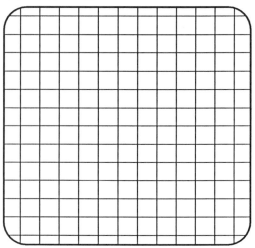

Résultat n° 22

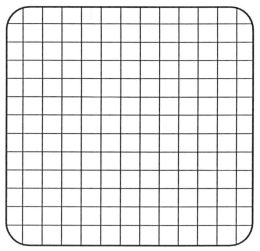

Vos objectifs intermédiaires

Échéance: 1 an

Résultat n° 13

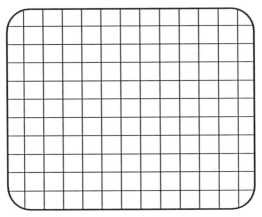

Résultat n° 14

Résultat n° 15

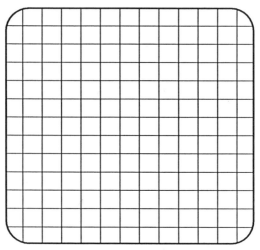

Résultat n° 16

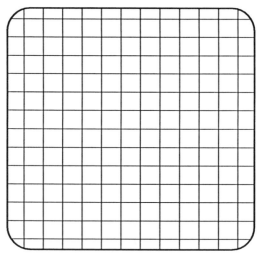

Résultat n° 9

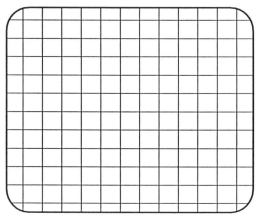

Résultat n° 10

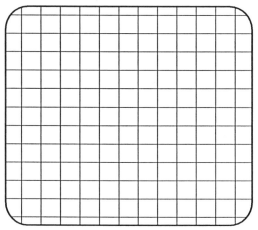

Résultat n° 11

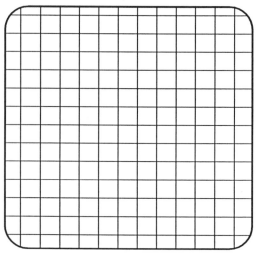

Résultat n° 12

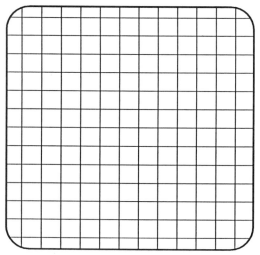

Vos grands objectifs

Échéance: 5 ans

Résultat n° 5

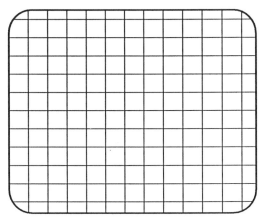

Résultat n° 6

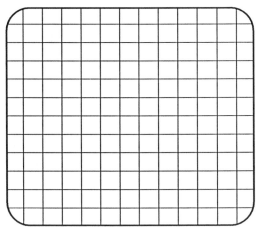

Résultat n° 7

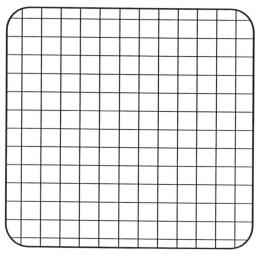

Résultat n° 8

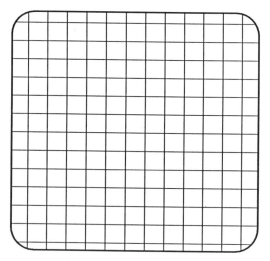

Résultat n° 1

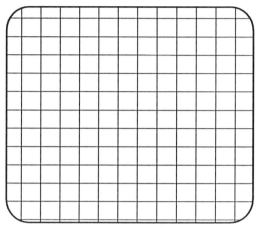

Résultat n° 2

Résultat n° 3

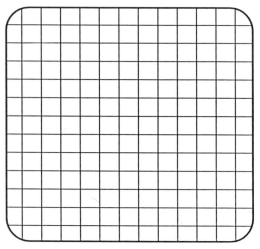

Résultat n° 4

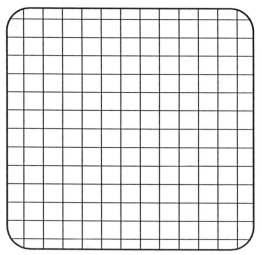

COMMENTAIRES ET ANALYSES PERSONNELLES

Et maintenant?

Vous connaissez le contenu de ce guide.

C'est très bien, mais...

- N'oubliez que cet ouvrage vous propose une méthode.
- Il a été conçu pour vous permettre de mettre en pratique tous les conseils qu'il contient.
- Ne l'enfermez pas dans une bibliothèque. Emmenez-le partout afin de pouvoir le consulter chaque fois que cela sera nécessaire.
- Soyez convaincu comme je l'ai été moi-même et joignez-vous aux gagnants.

Un dernier conseil

Menez de front l'ensemble des chapitres du *Passeport pour la réussite* (les fiches sont faites pour cela), sans toutefois dépasser 8 à 10 résolutions, décisions ou habitudes, toutes catégories confondues.

Établissez vos objectifs dès le début. Et... à bientôt, en haut de l'escalier!

Vous y trouverez le bonheur et le succès.

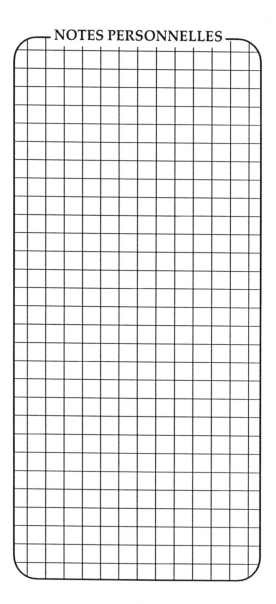

NOTES PERSONNELLES

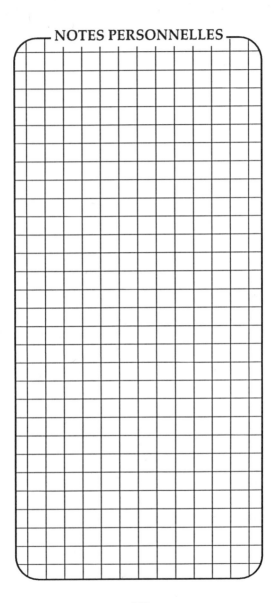

NOTES PERSONNELLES

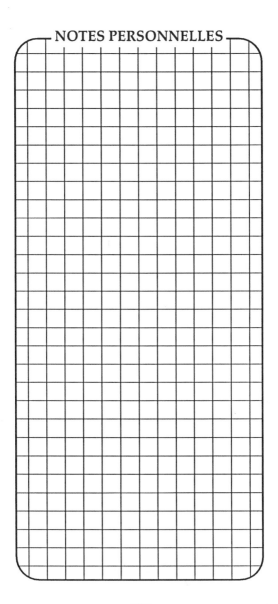

NOTES PERSONNELLES

Achevé   Imprimerie
d'imprimer   Gagné Ltée
au Canada   Louiseville